Η ΠΡΩΤΗ ΜΟΥ ΜΥΘΟΛΟΓΙΑ
Ο Ηρακλής

Κείμενο: Φίλιππος Μανδηλαράς
Εικονογράφηση: Ναταλία Καπατσούλια
Διόρθωση: Αντωνία Κιλεσσοπούλου

ΕΚΔΟΣΕΙΣ ΠΑΠΑΔΟΠΟΥΛΟΣ
Καποδιστρίου 9, 144 52 Μεταμόρφωση Αττικής, τηλ.: 210 2816134
e-mail: info@epbooks.gr

ΒΙΒΛΙΟΠΩΛΕΙΟ
Μασσαλίας 14, 106 80 Αθήνα, τηλ.: 210 3615334
www.epbooks.gr

ISBN 960-412-885-3

Η πρώτη μου μυθολογία

ΦΙΛΙΠΠΟΣ ΜΑΝΔΗΛΑΡΑΣ

Ο Ηρακλής

Εικονογράφηση
Ναταλία Καπατσούλια

ΕΚΔΟΣΕΙΣ ΠΑΠΑΔΟΠΟΥΛΟΣ

Θνητός αυτός γεννήθηκε μ' αθάνατο πατέρα,
στης Γης την άκρη έφτασε κι ακόμα παραπέρα.
Θηρία αντιμετώπισε, της Ήρας τη μανία,
με δύναμη και θέληση έφτασε στην αθανασία.
Ναούς κι αγάλματα πολλά υψώσαν προς τιμή του,
του κόσμου όλοι οι λαοί ξέρουν τη δύναμή του.

Ποιος είναι;

Η ιστορία μας αρχίζει τα χρόνια τα πολύ παλιά,
τότε που ο Δίας θαμπώθηκε απ' της Αλκμήνης την ομορφιά.

Του άντρα της του Αμφιτρύωνα παίρνει τη μορφή,
μαζί κοιμούνται
και λίγο καιρό μετά γεννάει η Αλκμήνη τον Ηρακλή.

Το 'δε η Ήρα αυτό και ζήλεψε πολύ
δυο φίδια στέλνει ευθύς να πνίξουν το παιδί.

Ξυπνάει ο Ηρακλής, ακούει τα χαρχαλητά,
με τα δυο χεράκια πιάνει τα ερπετά,
στη στιγμή τα πνίγει κι όλο γελά.

Η Ήρα όμως δε σταμάτησε εκεί.
Τον Ηρακλή δεν παύει να τον παρακολουθεί,
στην ευτυχία του εμπόδια να βάλει καραδοκεί.

Όταν μεγάλωσε ο Ηρακλής κι είχε γυναίκα και παιδιά,
τρέλα τού βάζει η Ήρα στο μυαλό
και στους δικούς του κάνει το κακό.
Κι όταν, μετανιωμένος, να τον συγχωρέσουν ζητάει οι θεοί,
με την Πυθία τού απαντούν σοφά αυτοί:
«Το θείο σου Ευρυσθέα δώδεκα χρόνια θα υπηρετήσεις,
ό,τι ζητήσει θα το κάνεις και δε θα φέρεις αντιρρήσεις».

Ή Ήρα όμως τον Ευρυσθέα είχε δασκαλέψει,
σκοπός της ήταν τον Ηρακλή να βγάλει απ' τη μέση.
Κατορθώματα δύσκολα τον έβαλε να κάνει,
άνθρωπος άλλος, θα σκοτωνόταν μάνι μάνι.

«Ένα λιοντάρι στη Νεμέα ζει, που είναι τρομερό» είπε ο Ευρυσθέας.
«Να πας να μου το φέρεις πεθαμένο ή ζωντανό!»

Ρόπαλο έφτιαξε στο δρόμο ο Ηρακλής
και στη σπηλιά του λιονταριού μπήκε ευθύς.
Το χτύπησε, το ζάλισε, στην αγκαλιά το έσφιξε,
την πνοή του το θηρίο εκεί την άφησε.

Στη λίμνη Λέρνη έπρεπε να πάει μετά,
που ζούσε η Λερναία Ύδρα με κεφάλια εννιά.
Το δηλητήριο πάλεψε ο Ηρακλής με τη φωτιά,
το τέρας το κυρίεψε κι ησύχασε ο τόπος πια.

Στο βουνό Ερύμανθο ήταν η τρίτη αποστολή,
τον κάπρο που 'φερνε την καταστροφή να βρει.
Μέρες και μέρες ο Ηρακλής τον κυνηγούσε ξαναμμένος,
τον έπιασε· μόλις τον είδε ο Ευρυσθέας,
σε πιθάρι μπήκε φοβισμένος.

Της Άρτεμης το ιερό ελάφι για να πιάσει τώρα,
χρειάστηκε να τρέξει σ' ολόκληρη τη χώρα.

Κι αμέσως μετά της Στυμφαλίας γνώρισε τα άγρια πουλιά,
με τα ράμφη που 'ταν σιδερένια και τα τρομερά φτερά.
Με τα βέλη σκότωσε πολλά,
κι όλα τα 'διωξε με τα κρόταλα που του χάρισε η Αθηνά.

Τους στάβλους του βασιλιά Αυγεία έπειτα έπρεπε να καθαρίσει,
δύναμη δε χρειαζότανε εδώ, αλλά εξυπνάδα για να βρει τη λύση.
Από δυο ποτάμια έφερε ως τους στάβλους το νερό,
καθάρισε ο τόπος, φύσηξε αεράκι καθαρό.

Κι από κει στην Κρήτη του βασιλιά του Μίνωα πάει,
τον ταύρο που 'βγαζε φωτιές μεμιάς τον καβαλάει.

Αμέσως για τη Θράκη πάει ο Ηρακλής,
στο βασιλιά Διομήδη παρουσιάζεται ευθύς.
Τ' άλογά του που έτρεφε με σάρκες ημερώνει
και τον άγριο βασιλιά μια και δυο σκοτώνει.

Για τη χώρα των Αμαζόνων ο ήρωάς μας ξεκινάει,
της βασίλισσας Ιππολύτης τη ζώνη ο Ευρυσθέας τού ζητάει.

Των Αμαζόνων η θωριά σ' όλους θα φέρει ρίγη,
θα πολεμήσει άγρια ο Ηρακλής και νικητής θα φύγει.

Στην άκρη της Γης ο Ηρακλής θα χρειαστεί να φτάσει,
τα βόδια του Γηρυόνη θέλει ο Ευρυσθέας να πιάσει.
Τέρας είναι ο Γηρυόνης τρομερό
κι έχει σκύλο τον Όρθο – σκέτο θεριό.

Αλλά ο Ηρακλής με τα βόδια θα γυρίσει,
θεριά και τέρατα εύκολα θα νικήσει.

Στον Κάτω Κόσμο είναι η νέα αποστολή,
τον Κέρβερο να φέρει, το φύλακα, το τρομερό σκυλί.

Άγρια πάλεψε ο ήρωας μες στο σκοτάδι
και νικητής ανέβηκε ακόμα κι απ' τον Άδη.

Τον τελευταίο άθλο για να τον καταφέρει,
τον κόσμο ανάποδα χρειάζεται να φέρει.
Στον κήπο των Εσπερίδων τώρα πρέπει να πάει,
απ' τα χρυσά τα μήλα ο Ευρυσθέας σκέφτηκε να φάει.

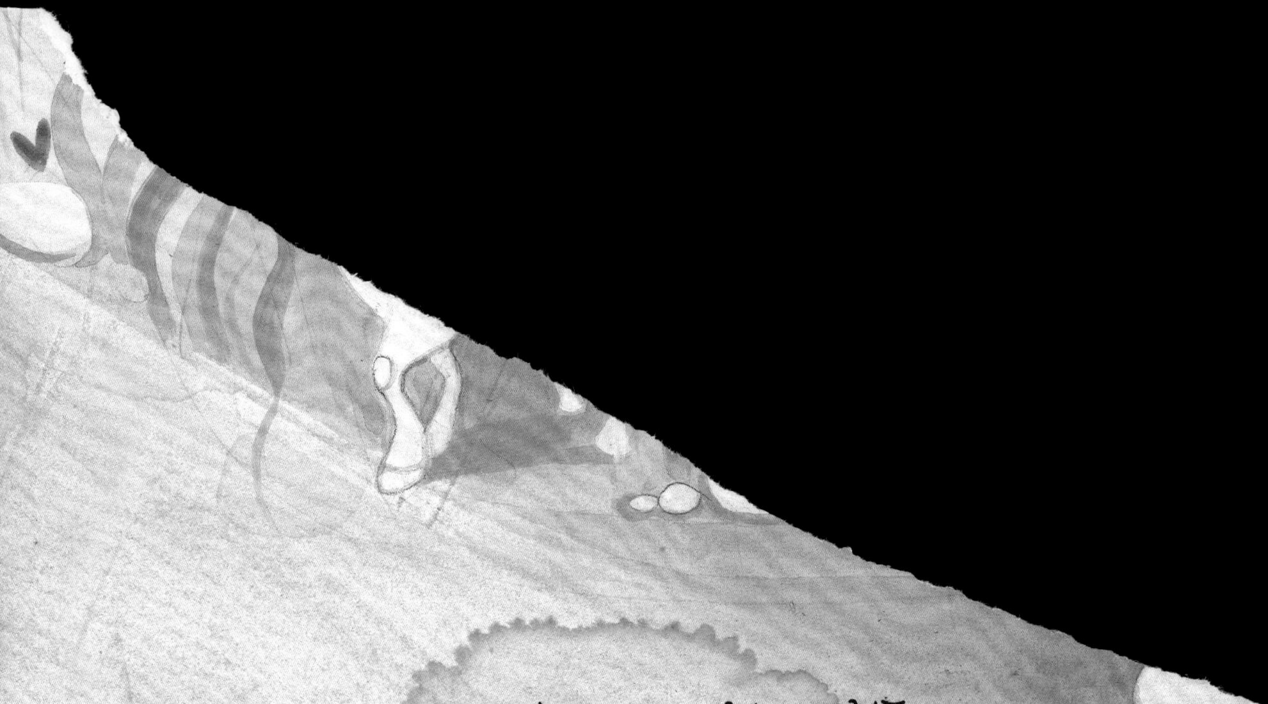

Το τόξο ο Ηρακλής οπλίζει,
τη γυναίκα του στον Κένταυρο δεν τη χαρίζει.
Όμως ο Νέσσος, πριν ξεψυχήσει,
δηλητήριο στην κοπέλα κοιτά να χύσει:
«Απ' το αίμα μου στο χιτώνα του άντρα σου αν στάξεις,
γι' αγάπη αλλού δε θα χρειαστεί να ψάξεις» της είπε.

Κι ο χιτώνας κόλλησε στου Ηρακλή το σώμα,
ούρλιαζε απ' τον πόνο αυτός, να πεθάνει δεν ήθελε ακόμα.
Τον λυπήθηκαν τότε οι δώδεκα θεοί
και στου Ολύμπου τον πήραν την ψηλή κορφή.
Αθάνατος κι αγέραστος για πάντα ζει εκεί,
των ανθρώπων ακούει τα βάσανα με προσοχή.

Μαθαίνω περισσότερα

Η Πυθία

Η ιέρεια που έδινε χρησμούς στο μαντείο του Απόλλωνα, στους Δελφούς.

Οι Αμαζόνες

Μυθικός λαός κυνηγών και πολεμιστριών που κατάγονταν από το θεό του πολέμου Άρη. Λέγεται ότι κατοικούσαν στα παράλια του Εύξεινου Πόντου.

Ο Κέρβερος

Ο φύλακας του Άδη, που έχει μορφή σκύλου με τρία κεφάλια. Γεννήθηκε από την ένωση δυο τεράτων, του Γίγαντα Τυφώνα και της Έχιδνας.

Ο Άτλαντας

Ο δυνατότερος Τιτάνας, που υποχρεώθηκε από το Δία να σηκώσει στους ώμους του τον Ουρανό. Ο Ηρακλής τον συνάντησε στο δρόμο του για τον κήπο των Εσπερίδων και τον παρακάλεσε να πάει αυτός στον κήπο, ενώ ο ίδιος θα τον αντικαθιστούσε στα βαριά του καθήκοντα. Όταν όμως ο Άτλαντας επέστρεψε με τα πολύτιμα φρούτα, δεν ήθελε να κρατήσει τον Ουρανό. Τότε ο Ηρακλής τον παρακάλεσε να τον βοηθήσει να βάλει ένα μαξιλάρι στη μέση του, ο Άτλαντας πλησίασε κι ο Ηρακλής, με μια γρήγορη κίνηση, έριξε τον Ουρανό στη ράχη του Τιτάνα.

Παιχνίδια με τον Ηρακλή

Ακολούθησε τον Ηρακλή στα κατορθώματά του

Για να ολοκληρώσει τους δώδεκα άθλους του, ο Ηρακλής χρειάστηκε να γυρίσει όλη την Ελλάδα, αλλά να πάει και πέρα απ΄ αυτήν.

Ακολούθησε την πορεία του ξεκινώντας πάντα από τις Μυκήνες και χρωμάτισε τη διαδρομή του προς κάθε άθλο με το χρώμα που σου υποδεικνύει το αντίστοιχο τετραγωνάκι.

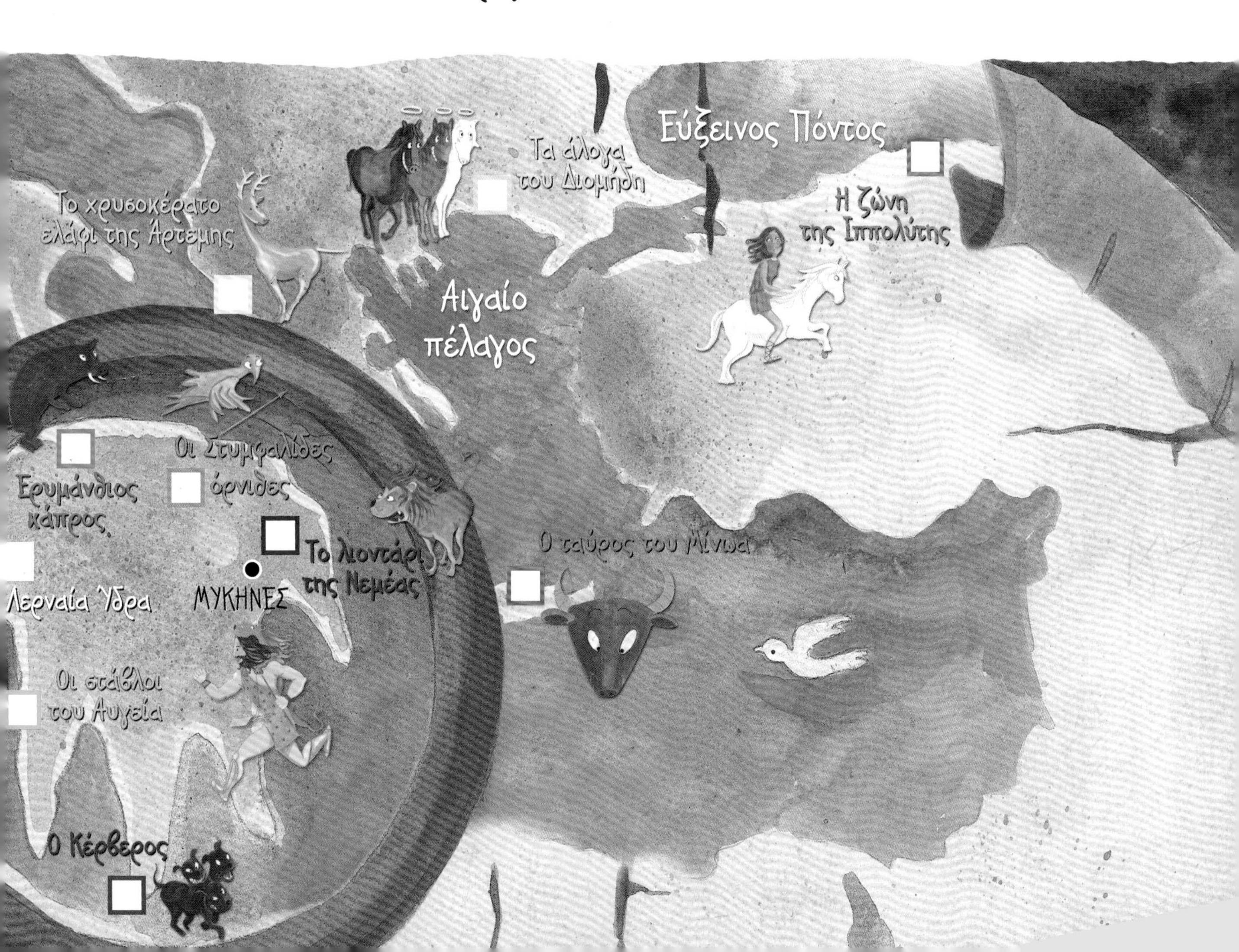

Σειρά «Η πρώτη μου μυθολογία» 25 τίτλοι

Ο Τρωικός πόλεμος
- Ο Πάρις και η Ωραία Ελένη
- Η θυσία της Ιφιγένειας
- Αχιλλέας και Έκτορας
- Ο Δούρειος Ίππος

Οι Ήρωες
- Ο Θησέας
- Ο Ηρακλής
- Ο Περσέας και η Μέδουσα

Οι θεοί του Ολύμπου
- Οι 12 θεοί του Ολύμπου
- Ποσειδώνας, ο θεός της θάλασσας
- Δήμητρα και Περσεφόνη
- Ερμής, ο θεός για όλες τις δουλειές
- Απόλλωνας και Άρτεμη
- Διόνυσος, ο κεφάτος θεός

Η Αργοναυτική Εκστρατεία
- Ο Ιάσονας και η Αργοναυτική Εκστρατεία
- Το χρυσόμαλλο δέρας

Οι περιπέτειες του Οδυσσέα
- Το ταξίδι του Οδυσσέα
- Ο Οδυσσέας στην Ιθάκη

Ιστορίες με ανθρώπους και θεούς
- Δαίδαλος και Ίκαρος
- Αθήνα, η πόλη της Αθηνάς
- Ο βασιλιάς Μίδας
- Ασκληπιός, ο πρώτος θεραπευτής
- Ο Φαέθοντας και το άρμα του Ήλιου
- Ο Προμηθέας και η φωτιά
- Το κουτί της Πανδώρας
- Πύρρα και Δευκαλίωνας

Σειρά «Η πρώτη μου Ιστορία» 10 τίτλοι

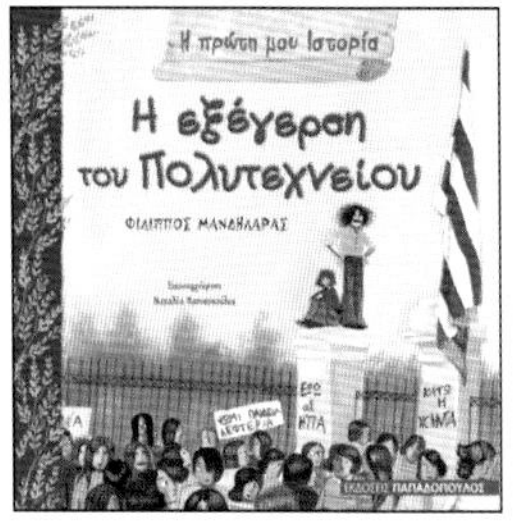

Σειρά «Οι κωμωδίες του Αριστοφάνη»

Σειρά «Η πρώτη μου μυθολογία»

Παιχνίδια και δραστηριότητες